JUNG

couleur de peau : miel

tome 2

Chapitre 1

©Éditions Soleil / Quadrants / Jung
dépôt légal : juin 2008
ISBN : 978-2-30200-092-6
Huitième impression
Tous droits de traduction, d'adaptation, et de
reproduction strictement réservés pour tous pays.

Direction éditoriale : Corinne Bertrand.
Conception graphique : Nonos et Paillettes [nonosetpaillettes.com]
Impression : Lesaffre – Tournai – Belgique
facebook.com/collectionquadrants
Éditions Soleil - Groupe Delcourt
Toulon - Paris

1980, j'ai 14 ans.

J'appréciais de plus en plus les moments de solitude.

J'aimais l'odeur de la végétation en été lorsque les rayons du soleil envahissaient la plaine , la forêt, et venaient mourir dans les marécages.

En fait, je n'étais jamais vraiment seul , j'appréciais par-dessus tout la présence des arbres.

J'admirais plus particulièrement leurs impressionnantes racines.

Ces racines doivent pénétrer profondément dans le sol pour assurer à l'arbre un ancrage solide.

Leur développement dépend aussi de la nature du sol. Il faut que la terre soit de bonne qualité pour que les racines descendent loin.

Dans une mauvaise terre, les racines restent près de la surface. Là où elles trouvent leur nourriture. L'arbre n'est enraciné que superficiellement, une petite tempête suffit à le faire vaciller.

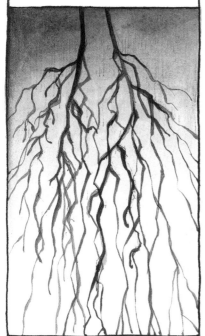

Je résisterai!

Les racines principales assurent à l'arbre sa stabilité et transportent l'essentiel de la sève.

Lorsqu'elles sont coupées, ces racines ne repoussent pas et entraînent la mort de tout, ou partie, de l'arbre.

TCHAC!

HiHiHi! Même pas mal.

J'ai dit que je résisterais.

JE RÉSISTERAi!

J'ai résisté !...

Mais, j'ai toujours eu mal aux pieds.

Je suis déraciné.

Je me sentais un peu étranger où que j'aille.

Cependant, je m'étais fait une raison, et ça ne m'empêchait pas d'être un garçon presque comme tous les autres.

Mais il y avait toujours un petit malin pour me rappeler que j'étais différent.

Marre de cette pluie.

Hé CHINETOQUE!

Ça faisait longtemps qu'on ne m'avait pas appelé ainsi.

Quel est le crétin...

Avec le rideau de pluie qui tombait, j'avais du mal à le distinguer. Mais la mise au point faite, ma surprise fut de taille !

Un Coréen adopté...

Il était plus jeune que moi, j'avais envie de l'étriper, de lui couper les oreilles et de le renvoyer dans son pays natal.

J'avais envie de le faire taire à tout jamais.

Je suis resté planté devant lui à me faire insulter, incapable de réagir, paralysé par le ridicule de la situation.

En vérité, je n'ai pas réagi, car j'avais tout simplement pitié de lui.

Comment pouvait-il être aussi stupide pour oublier qu'il avait été photographié avec la même pancarte que moi.

FLASH !

Et probablement dans le même orphelinat.

Un petit sourire pour la photo.

Il devait sûrement avoir la même expression idiote sur son visage.

PARK CHUNG-HEE
7523# 12
07/11/67

Évidemment, c'est pas comme ça que j'allais me réconcilier avec mes origines ! Je détestais encore plus la Corée et les coréens adoptés.

CHINE-TOQUE !

HIHIHI !

Puis ses copains sont arrivés. Ils tournaient autour de moi en se marrant et en m'insultant joyeusement.

Ce petit jeu commençait sérieusement à m'énerver. Ma patience était à bout, ils ne le savaient pas, mais je me débrouillais plutôt bien au KUNG-FU, et là, ils dépassaient les limites du supportable.

Je n'ai pas eu l'occasion de mettre en pratique l'enseignement du KUNG-FU. Un professeur passant par là parvint à nous calmer et à nous disperser. Heureusement pour moi car je n'aurais pas fait le poids contre eux.

Je savais me battre, mais quatre adversaires, c'était un peu beaucoup pour moi.

En revanche, j'avais acquis suffisamment de technique pour maîtriser un seul adversaire.

C'est pas Christophe qui me contredira.

Effectivement! Il a une fâcrée froite!

Je m'entendais bien avec Christophe, il parlait beaucoup, mais ça ne me dérangeait pas. Il était gentil.

Christophe était le fils du professeur d'anglais, c'était son seul défaut. Son père était moins gentil que lui.

Je ne le détestais pas, jusqu'au jour où deux années auparavant...

Tous les jours, je partais à l'école avec un pique-nique que ma mère me préparait, et une fois sur deux, ça ne me plaisait pas.

En particulier les tartines aux salamis. BEURK! Je n'aimais vraiment pas ça.

ENCORE?

Maintenant, j'adore...

Mais à l'époque, je trouvais ça dégoûtant.

J'ai mangé une tartine, mais il en restait encore deux autres, et j'avais déjà envie de vomir.

C'était plus que je ne pouvais supporter. Alors, je les ai jetées sous un buisson.

Un geste malheureux que j'ai amèrement regretté par la suite. Il est arrivé tel un fantôme derrière moi.

J'avais eu le temps de recouvrir la nourriture avec un peu de terre. Mais il le savait et me força à déterrer les tartines et à le suivre dans sa classe.

Il claqua la porte derrière lui puis me demanda de m'asseoir à une table et de manger les tartines aux salamis que j'avais jetées cinq minutes avant.

Terrorisé, j'ai exécuté les ordres de ce bourreau psychopathe sans rouspéter, en mangeant jusqu'à la dernière miette, terre incluse ...

Pour finir, il a ajouté : "Que je ne t'y reprenne plus ! Pense aux enfants qui crèvent de faim dans ton pays !"

Chapitre 2

Moi, j'aimais jouer à la roulette russe.

Le jeu consistait à rouler à vélo et chercher une route bien pentue...

... Pas très difficile à trouver dans mon village.

Ici, ce sera parfait.

Ensuite, une fois au sommet de la côte, il fallait fermer les yeux...

... Se laisser glisser naturellement...

... Et évidemment, ne pas percuter de voiture venant en sens inverse...

YOUPIiiiliE!!!

J'ai eu beaucoup de chance car je n'ai jamais eu d'accident.
J'étais confiant, je savais qu'il ne m'arriverait jamais rien.

C'était vrai
sur la route.

Car dans le
jardin, c'était une
autre histoire.

Je m'en suis sorti avec un beau bleu et un régime alimentaire très spécial prescrit par le médecin : crème glacée à tous les repas pendant une bonne semaine !

C'était délicieux, mais pas toujours facile à digérer. C'était gênant pour un sportif de mon niveau.

BURP ! Trop mangé. Les filles vont se moquer de moi.

Je faisais de la danse classique car ma mère m'y obligeait. J'étais devenu bon par la force des choses, mais je suivais les cours sans enthousiasme.

Je n'étais pas souple naturellement.

Je faisais des efforts pour ne pas paraître ridicule devant les filles.

Cependant, j'étais toujours très impatient que le cours se termine.

J'en ai marre!

J'veux faire du foot!

Le cours de danse ne me déplaisait pas systématiquement. Comme j'étais le seul garçon, je partageais le même vestiaire que les filles.

♪

J'aimais beaucoup Françoise. Âgée de 18 ans, elle était décomplexée et spontanée.

Coucou tout le monde!

Désolée pour le retard. Je m'habille en vitesse.

28

Elle était très naturelle !

Et moi, j'adorais traîner dans les vestiaires.

Traîne pas trop, tu vas finir par arriver en retard aussi !

GLUPS ! Elle sait.

LE COURS COMMENCE !

J'arriiiive.

J'étais un peu amoureux de Françoise.

Et un, et deux, demi-plié

29

J'imaginais que j'étais son partenaire.

Elle m'aimait...
J'étais le nouveau
Rudolf Noureev!

Nous étions
adulés par
la foule.

Nous devenions inséparables et entretenions une relation passionnante et passionnée.

Un et deux, demi-plié et saut de chat !

Arabesque pirouette cacahouète

RÉVEILLE-TOI !

RÉVEILLE-TOI !!

Alors jeune homme! On a du mal à se concentrer aujourd'hui? MMMMH?...

Bon, maintenant tu me suis. Nous allons te chercher une partenaire pour le pas de deux.

Et comme tu es le seul garçon du cours, tu auras le privilège de la choisir.

Elle me laissa le choix entre Béatrice la blonde, et Sophie la brune. Toutes les filles rêvaient de faire "le pas de deux".

Pour le pas de deux, la danseuse doit développer son sens de l'équilibre. Le danseur doit pouvoir la porter sans laisser transparaître de signe d'effort. Tout doit s'enchaîner avec grâce.

Voilà ce qu'elles attendent de moi !

C'est ridicule ! BEURK !

Cette situation ne me plaisait pas. Pourquoi choisir, elles étaient toutes les deux très mignonnes. En plus, je connaissais bien Béatrice la blonde, on s'entendait bien. J'avais un petit faible pour elle. Elle s'attendait bien entendu à ce que je la choisisse.

AAAH, si j'avais pu choisir Françoise...

Ne montrer aucun signe de fatigue.

L'élégance, la grâce, avant tout.

Finalement, je crois que...

... Je vais choisiiiir...

SOPHIE!

Ce petit jeu que je trouvais au départ déplaisant devint à force assez excitant.

Je n'aimais pas la danse, toutefois j'appréciais tous les avantages que ça m'apportait.

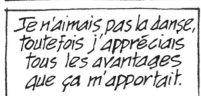

Sophie sera ma reine.

Merci maître.

SMACK
SMACK

Je me sentais indispensable !

Dis-moi miroir...

Qui est "THE BEST"?

Je préférais Béatrice, mais j'ai choisi Sophie par pur esprit de contradiction. J'avais découvert malgré moi la méchanceté. J'étais devenu "JUNG LE CRUEL" !

1982, j'ai 16 ans. Toute la période de l'adolescence correspond pour moi à des années difficiles. J'étais devenu un garçon timide, complexé, qui parlait peu et qui détestait des repas de famille qui ne comptaient que deux sujets de conversation.

Ces conversations m'ennuyaient. Un jour, je décidai de ne plus parler à table.

Je m'étais enfermé dans un mutisme un peu malsain...
Je vivais dans ma bulle.

Non.
je ne parlerai plus jamais à table.

Je n'étais pas vraiment agréable... Disons, pas très sociable.

DÉGAGE!

KiAi

Ma mère n'osait plus me frapper, mais elle criait encore beaucoup.

...

Un jour, j'ai crié plus fort qu'elle! Non MAiS!

Nous étions tous les deux très surpris de cette situation. J'attendais sa réaction qui n'arrivait pas. Je pouvais voir dans son regard un mélange de peur et de colère. En fait, elle était désemparée.

Elle ressemblait à une cocotte-minute à pression défectueuse prête à exploser, mais peine perdue.

Ce jour-là, j'ai su que j'avais franchi un cap dans la relation avec ma mère. Je n'avais plus peur d'elle, j'avais retrouvé le sourire.

J'enseignais mon savoir-faire à mon frère qui appréciait ma nouvelle technique de communication. J'étais très fier.

Ouais, c'est ça ! Tu y es presque !

Notre rébellion ne fut que de courte durée, car même si notre mère ne nous impressionnait plus, sur le terrain de celui qui crierait le plus fort, elle gagnait à chaque fois ! A croire qu'elle s'exerçait en cachette...

Un jour, elle finit par avoir une extinction de voix. C'était pour moi un vrai bonheur, pour elle une véritable torture.

Nous étions tous très contents de cette plénitude retrouvée. En particulier ma petite sœur coréenne, Valérie.

Elle était devenue le souffre-douleur de ma mère.

♫ Promenons-nous dans le bois, ♫ tant que le loup n'y est pas. ♪

Hihi hi!

À côté d'elle, on peut dire que j'ai eu beaucoup de chance. Je me suis toujours demandé pourquoi mes parents l'avaient adoptée.

Valérie était notre petite Cendrillon. Nous trouvions cela injuste, mais à la longue c'était devenu normal.

Bon, nous avions tous des tâches ménagères, mais disons qu'elles étaient assez mal réparties entre les six enfants.

Valérie était à la recherche de l'amour maternel, elle aimait notre mère plus que tout au monde.

Malheureusement, ce n'était pas réciproque. En revanche, elle pouvait compter sur l'affection de notre père qui était à l'origine de son adoption.

Mes parents se disputaient beaucoup à son sujet.

Comment va **MA** Fille ?

La Famille idéale n'existe pas, encore moins lorsque c'est une Famille d'adoption.

Valérie subit une opération très grave due à un cancer du rein. Je me souviens que notre mère était très inquiète pour elle et faisait beaucoup d'aller-retours entre la maison et l'hôpital. Était-ce sa façon de montrer son affection ? Étrange maman. Je n'avais plus qu'à tomber gravement malade.

Notre mère avait du mal à montrer ses sentiments, elle était un peu maladroite dans ce domaine.

Ce n'était pas vraiment de sa faute. Sa maman avait une façon très spéciale de lui dire bonjour...

Mais oui mon fils, je t'aime.

CLAC!

Son passé difficile était probablement à l'origine de la relation compliquée qu'elle entretenait avec ses enfants. Surtout avec ses deux adoptés, surtout avec Valérie. Mais quand on est petit, on ne trouve aucune excuse à ses parents.

42

Nous n'avons jamais abordé le sujet de l'adoption. C'était un sujet tabou entre nous.

Dans quel village de Corée a-t-elle été abandonnée? Près de quelle rizière?

43

Malheureusement, je n'aurai jamais l'occasion d'en parler avec elle.

Et si tu étais restée en Corée, petite sœur ? Quelle vie aurais-tu vécue ? On ne le saura jamais.

Chapitre 3

Dans mon lycée, nous étions sept coréens adoptés.

Youri, qui était une classe au-dessus de moi, ressemblait à un lutteur mongol.

Ses yeux étaient si petits que j'avais du mal à voir dans quelle direction il regardait...

Ses parents, qui étaient industriels, le conduisaient au lycée en Jaguar. On fréquentait la même école, mais on ne se parlait pas.

Jusqu'au jour où...

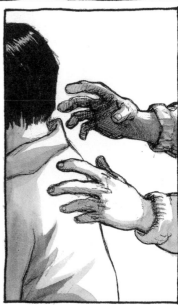

HÉÉÉÉÉ !!!

HiHiHi!

HiHiHi!

HiHiHi Arrêêête !!
Je m'en mets partout!
ARRÊÊÊTE!!

T'es con ou quoi?

Ça a duré 30 secondes, ça m'a paru une éternité.

Je n'en revenais pas. Les adoptés étaient-ils tous aussi débiles que Youri ?

En fait, il n'était pas débile, il voulait juste me faire une blague et probablement établir un contact... Un peu mouillé, mais réussi.

Je déteste ces Coréens.

Je suis trempé et je pue l'urine ! QUEL NAZE !

Depuis, quand on se croisait au lycée, on se disait bonjour.

C'était drôle hein ?

Oh oui ! Je me suis bien marré ! Hi Hi Hi !

Je croisais régulièrement Bruno !... On ne se parlait pas entre adoptés.

Il était une classe en dessous de moi. Ce qui me frappait chez lui, c'était ses petites jambes.

Sa sœur Kim, qui était Coréenne aussi, m'intéressait beaucoup plus que lui. Elle était extrêmement belle, bien proportionnée.

Et elle le savait.

Toujours les mêmes !

Tu as trop de boutons, et moi, je suis trop asiatique.

J'avais remarqué que la majorité des asiatiques avaient des jambes plus courtes que le tronc.

Ouf, j'ai eu de la chance.

Sûrement mes origines irlandaises paternelles.

Chez Bruno, ce n'était pas naturel, il avait dû souffrir de malnutrition en Corée.

Bruno était un précurseur en matière vestimentaire.

pantalon à la mode HIP HOP qui raccourcir les jambes.

Je n'étais pas court sur pattes, mais j'étais un adolescent complexé comme tous les autres... J'étais convaincu que j'avais de grosses fesses, alors je me regardais souvent dans le miroir pour voir quel pantalon m'amincissait le plus.

CELUI-CI ME VA À MERVEILLE !!

Youpiiiiiie ! Hihihi !! J'suis magnifique dans ce fute ! Je le mettrai lundi, et les filles me regarderont enfin !

Je suis content et je veux séduire les filles.

Heu... Que fais-tu ?

?

Tu... tu n'étais pas partie faire les courses ?

Si mais je viens de revenir ! Que fais-tu à moitié nu dans ma chambre ?

Et que font tous ces pantalons que je viens de repasser par terre ??!

VA FAIRE LE JOHN TRAVOLTA AILLEURS !

J'étais en train de changer. Par exemple, le matin, je passais plus de temps dans la salle de bains.

Pas de douche ! Plutôt du parfum.

Zut, encore un bouton.

Allez, encore un petit peu !

J'étais dans la même classe que Coralie.

C'était bien pratique d'être dans la même classe que sa sœur... surtout lorsqu'elle est la première de la classe.

HÉ, Coralie! Pourquoi tu ne m'as pas attendu?

Interro de chimie, mon très cher frère.

Je ne sais pas si tu te souviens.

GLUPS? J'ai pas étudié!

Un peu tard pour y penser.

HiHi!

HiHi! J'trouve pas ça drôle.

SNiF! SNiF!

J'ai mis trop d'aftershave...

'Ya une odeur bizarre.

Dis, je pourrai m'asseoir à côté de toi au cours de chimie?

Ben oui, comme d'hab!

Laurie était une Coréenne adoptée aussi, et elle était dans le même lycée que moi, mais en section arts plastiques. Elle traînait avec des artistes qui fumaient beaucoup trop.

Laurie était toute petite et avait une grosse tête carrée, comme la plupart des Coréens typiques. Elle avait un look d'artiste et semblait de toute évidence s'intéresser à moi.

Bon, il est vrai que j'avais envie d'attirer les filles, mais pas ce genre-là. Petite asiatique anorexique, adoptée de surcroît, ce n'était pas trop mon truc.

Non, mon truc c'était le genre brune ou blonde pulpeuse, comme Véronique, Christelle ou Sandra.

Bien entendu, elles ne me regardaient jamais.

Zut, voilà encore Laurie l'artiste.

Salut ! Moi c'est Laurie. J'ai appris que tu faisais du dessin. Tu me montreras ?

Bof, tu sais, c'est pas terrible. Je fais juste des petites BD pour m'amuser.

Je veux bien voir tes petites BD. Moi et mon copain, on adore ça !

Ouf, elle avait un copain. Alors, qu'est-ce qui pouvait bien l'intéresser chez moi ?

D'accord. Je te montrerai demain.

La compagnie des autres adoptés ne la dérangeait pas, au contraire elle provoquait les rencontres. C'était une grande première pour moi, qui, d'habitude, changeais de trottoir. Elle avait un caractère bien trempé. Nous nous disputions parfois, mais nous sommes devenus de bons amis.

J'avais 16 ans quand j'ai dessiné ma toute première planche de BD. C'était pas très bien dessiné, mais j'étais déterminé. Désireux d'apprendre, je savais que j'allais évoluer. Je faisais ces BD de façon ludique, sans imaginer une seconde que j'en ferais un jour mon métier.

Je progressais très rapidement, j'avais mis en chantier une histoire courte de 4 pages mettant en scène un ronin et un orphelin. C'est touchant de voir que j'abordais déjà les mêmes thèmes que ceux qu'on retrouve depuis toujours dans mes bandes dessinées publiées.

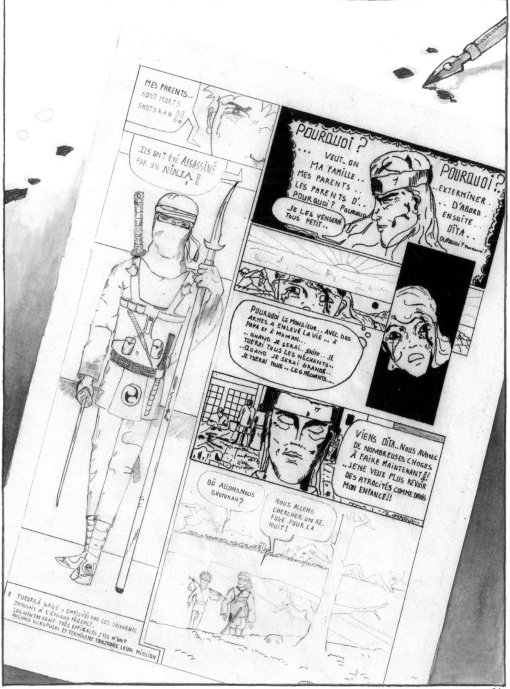

Waouh ! Il y a des fautes d'orthographe, mais les dessins sont très beaux.

Un jour, Laurie m'emmena à Bruxelles.

Je n'y allais pas souvent, bien que je préfère la ville à la campagne. J'aimais cet endroit cosmopolite qui grouillait de gens de tous les horizons. J'aimais ce mélange particulier d'odeurs qui provenaient des restaurants, des parfums, et des gaz d'échappement.

Ça ne sentait pas bon, mais cette odeur m'était familière.

Ici, j'étais dans mon élément.

Laurie voulait m'emmener chez des amis à elle.

Un couple d'étudiants du conservatoire de musique.

Ils s'appelaient Mee-yung Park et Chan-wook Choi.

DING DONG

PARK MEE-YUNG
CHOI CHAN-WOOK

Qu'est-ce qui m'avait pris de l'accompagner ? Moi qui détestais les Coréens et qui préférais les Japonais. J'étais passé dans le camp ennemi, j'étais devenu un traître ...Ils allaient peut-être s'en apercevoir.

Je voudrais m'en aller.

J'avais réveillé les démons de mon passé...

Le démon qui nous ouvrit la porte fut une petite fille fort sympathique...

LAURIE!

Coucouuu Kim!

Ben alors? Tu es toujours en pyjama? Tu ne vas pas à l'école?

Hihihi!

Laurie les connaissait bien et semblait très à l'aise avec eux. C'était la première fois que je rencontrais de vrais Coréens.

Aniyong Haseo!*

Elle étudiait le violon.

Il étudiait la clarinette.

*Bonjour.

'Faut que tu enlèves tes chaussures

si tu veux rentrer.

J'avais préparé une foule de questions. Par exemple, je voulais savoir s'ils étaient conscients que le gouvernement coréen avait envoyé des milliers de leurs compatriotes aux quatre coins de la planète. Je voulais savoir s'ils ne vivaient pas cela comme une honte.

Je voulais connaître leur opinion. Malheureusement, malgré leur bonne volonté je n'ai pas eu de réponses très claires. En effet, il ne parlaient pas le Français. Et ils parlaient l'anglais comme on joue du piano à deux doigts. Nous avons tout de même passé un bon moment à boire et à rigoler.

Le soir, je quittai Bruxelles avec le sentiment d'avoir passé une bonne journée. Je m'étais senti bien chez ces Coréens, j'aimais les écouter lorsqu'ils parlaient entre eux. Et même si je ne comprenais rien, la sonorité de cette langue m'était familière.

J'avais aimé les Kimpap* qu'ils m'avaient servi au repas. Je me souvenais de leur goût particulier.

*sushi coréen.

Chapitre 4

À 17 ans, j'étais un adolescent de plus en plus renfermé sur lui-même. Les repas de famille m'étaient devenus un véritable calvaire. Je m'étais fait la promesse de ne plus parler à table. Pari tenu, mais cette situation me rendait mal à l'aise.

CHEVAL VOITURE CHEVAL CHEVAL CHEVAL CHEVAL VOITURE
VOITURE VOITURE CHEVAL VOITURE

Certains jours, j'aurais bien participé aux discussions, mais j'étais pris à mon propre piège. Je n'arrivais plus à parler à table.

Ça ferait trop bizarre si je me remettais à parler maintenant.

Mieux vaut que je continue à me taire... Mais, il ne manquait plus que ça! Je suis devenu timide.

'Faut pas qu'ils s'en aperçoivent.

Solitaire, je me réfugiais dans mes bandes dessinées. Je vivais dans un monde imaginaire que j'avais créé, rempli de samouraïs et de geishas.

Mais je ne faisais pas que dessiner. J'écrivais aussi des lettres à Sylvie.

J'avais rencontré Sylvie lors d'un stage de formation pour jeunes animateurs. Nous nous sommes tout de suite plu et nous avions décidé de rester en contact.

Nous habitions à 5 km l'un de l'autre, mais l'idée de ne pas se voir m'excitait. Nous nous écrivions des lettres tous les jours.

Je n'étais pas amoureux de Sylvie.

J'avais juste beaucoup d'affection et de tendresse pour elle. Elle était devenue ma confidente.

Chère Sylvie,

Cher Jung

Nos échanges de lettres dura 6 mois. Elle connaissait tous mes petits secrets, et moi les siens.

Enfin presque, car nous n'abordions jamais les sujets liés à la sexualité.

Hum.

Cette relation à distance me convint très bien, jusqu'au jour où...

Heu... Héhé!

Jung, tu as encore reçu une lettre.

J'arriiive!

Super! Une nouvelle lettre de Sylvie. Alors... Qu'est-ce qu'elle raconte...

Cher Jung,

Après 6 mois de correspondance, je crois que nous avons eu le temps de faire connaissance.

Alors rendez-vous ce week-end en chair et en os aux feux de la Saint-Jean! Bisous

Sylvie

Mais? ...

Beurk! C'était pas prévu comme ça! J'veux pas sortir avec elle, même si je l'aime beaucoup! J'suis dans le caca...

GRRRRH!! Pourquoi rien ne se passe comme je veux!...

POURQUOI RIEN NE SE PASSE COMME JE VEUX!

WHY?

75

Cette relation à distance me plaisait, elle rythmait ma vie d'adolescent qui cherchait des repères. Cette dernière lettre allait-elle tout gâcher? Je décidai tout de même d'aller au rendez-vous.

Est-ce que j'avais peur d'entamer une vrai relation avec une fille? Cette situation me contrariait, mais je ne savais pas pourquoi...

Comment je vais faire pour la retrouver dans ce foutoir?

Devine c'est qui ?!...

C'EST MOI SYLVIE !

C'était bizarre de se revoir.

Bon, on reste plantés là, ou alors, on va se chercher un verre ?

Bouge pas, j'y vais ! Je prends un coca, et toi ?

Finalement, j'suis bien content d'être venu. Elle est sympa.

Hum, tu es plus bavard dans tes lettres, hein !

Ah bon, tu trouves ?

Si tu veux, je peux t'en écrire une, là tout de suite !

Hi hi ! Très drôle... Non merci, j'en ai déjà plein chez moi.

Tu sais, la première fois que je t'ai vu, tu avais l'air triste, et différent des autres garçons.

J'avais envie de te garder pour moi toute seule...

Ça y est, j'avais compris. Je cherchais la femme idéale, et je savais qu'elle n'existait que dans ma tête... Dans mon "no man's land"...

Sauvé par le gong! C'était triste à dire, mais je pris tout à coup conscience qu'aucune fille n'arriverait à la cheville de cette femme qui hantait mes pensées, et qui ne montrait jamais son visage.

Attends!

Pourquoi, tu cours aussi vite ?

Désolé, Sylvie! Mais il faut que je rentre, j'ai ...J'ai un travail à finir pour l'école!

Heu...Tu m'appelles demain ?

Lorsque les filles disent des garçons qu'ils sont lâches et menteurs, elles ont raison. Je n'étais pas différent des autres.

FUITE

J'étais partagé entre la satisfaction d'être aimé par une fille et embarrassé à l'idée que ce n'était pas réciproque.

Je vais lui écrire une toute dernière lettre. Il vaut mieux arrêter tout de suite et éviter tout contact.

Je lui envoyai une lettre la semaine suivante, sachant que j'allais perdre une amie, une confidente, mais rassuré de savoir que j'allais mettre fin à cette situation ambiguë.

Jung le cruel était de retour.

Sylvie avait tout pour me plaire, cependant, je ne voulais pas d'elle, car à cette époque-là, je cherchais une maman...
Après la cruauté, j'adoptais le rôle de "Jung l'insatisfait".

Non.

Non.

Non. Vous n'êtes pas assez bien pour moi.

Du coup, je me sentais très seul. Mais je l'avais bien cherché.

L'adolescence est une période ingrate. On n'est jamais content. Je me trouvais souvent de bonnes raisons de me plaindre.

J'suis malheureux.

C'est parce que j'ai été abandonné.

Je me disais que j'avais le droit d'être malheureux. J'étais devenu "Jung l'écorché vif".

Faire une tête de malheureux.

HAHAHA! Quelle sale tronche. On dirait Henri Vanderstraeten.

Henri était dans ma classe. Il n'était pas beau.

Il draguait ma sœur, Coralie, heureusement sans succès.

GLUPS!? Faut pas que je ressemble à Henri...

A l'école, j'étais "Jung l'inaccessible".

Je m'assieds à côté de toi, en cours d'histoire, ok ?

Si tu veux.

J'étais très fier que Florence vienne s'asseoir à côté de moi, mais je faisais l'indifférent. Je ne voulais pas que ça se voie.

♪

Le lendemain.

Je m'assieds à côté de toi en anglais.

Si tu veux.

♫

Florence n'était pas Sylvie. Elle n'était pas aussi patiente et romantique. Elle me dit un jour...

Eh bien, mon très cher Jung, je crois que tu n'aimes pas les filles. T'es un homo !

HAHA HA !! Moi homo ? N'importe quoi ! HAHAHA ! Arrête, je vais mourir de rire !

HAHAHA ! Non mais, je rêve ! Pour qui ça se prend !

HiHi Hi !

Ah, si elle savait que je l'avais imaginée toute nue dans son bain, et que je lisais Pussy-Minou et Union.

Hé hé hé ! Bien dit, gamin.

Regarde devant toi, Roger !

Oui, Georgette.

A 18 ans, j'étais devenu "Jung le rebelle". Tous mes copains étaient un peu marginaux et artistes. Je me sentais bien avec eux.

Marc était violoniste, et voulait devenir chef d'orchestre. Il aimait Brel et Prokofiev.

François était poète et peintre. Il aimait la BD et me fit découvrir Moëbius et Bilal. Il aimait les Clash et les Ramones.

Raoul était danseur et dessinateur. Il portait une admiration sans borne pour le sexe opposé et aimait Brassens.

Marc était le plus extraverti de nous tous. La musique marchait toujours très fort dans sa 2 c.v.. Il me parlait de philosophie, de Prokofiev, de Dali et me fit découvrir le violoncelliste chinois virtuose : Yo-Yo-Ma.

Il était imprévisible et savait parler aux demoiselles. Comme moi, Marc était à cheval entre 2 cultures. Son père était Rwandais, et sa mère européenne.

Nos chemins devaient se croiser...

Françgois vivait avec ses parents dans une immense maison.

Il occupait une petite chambre au dernier étage qui était toujours en désordre. C'est dans cet endroit qui sentait bon l'anarchie, le rock and roll et la poussière, que nous avons créé "Illusion", notre magazine d'étudiants.

C'était une façon de publier et de montrer nos dessins, nos textes et poèmes. Nous le vendions pour vingt francs belges* au Lycée. Nous n'avons pas fait fortune.

Pas cher!

Achetez Illusion! Pas cher! Pas cher! Derniers exemplaires!

Voici le genre de dessin que je faisais pour notre journal.

Ou de BD.

Dis Maggie !! ... j'ai faim !

Tu mangeras dans le châ teau mon lou lou

Tu vas voir mon lou lou comme on va s'amuser ... la fête dure cinq jours !

chouette!

Tiens tiens ... Intéressant ça ? J'ai comme une petite envie d' aller voir ce qui se passe dans ce fameux château...

* 50 centimes d'euro.

Raoul s'amusait à faire ce genre de dessin. Un portrait de son père. Je n'étais pas le seul à avoir un rapport conflictuel avec mes parents.

Raoul cherchait désespérement l'âme soeur. Pendant quelque temps, je lui ai servi de rabatteur. Mes copines du lycée étaient surprises de me voir aussi souvent.

Chez Lucie.

Je t'aime, Lucie.

Je t'ai aimé dès le premier regard.

Chez Murielle.

Je t'aime, Murielle.

ZZZ

Glups!

Chez Carole.

Je t'aime, Carole! Heu... le chat.

ZZZ

CLAC!

Finalement, je lui ai présenté Laurie, chez qui il déposa ses valises quelque temps...

Je t'aime, Laurie !

Je t'aime, Raoul.

Avec tous mes amis, nous refaisions le monde. Nous nous sentions libres, l'avenir nous appartenait.

Chapitre 5

Je n'étais plus heureux dans ma famille, alors je décidai, en concertation avec mes parents de quitter la maison familiale.

Quelle ingratitude.

Maintenant, qui va m'aider à couper le bois ?

Vive la liberté !

J'avais 18 ans et demi. Ce n'était pas la première fois que j'essayais de partir de chez mes parents. Quelques années plus tôt, j'étais allé vivre chez mes grands-parents, et puis un peu chez mon parrain.

J'avais trouvé refuge chez l'abbé Pierre, qui était en charge d'une petite paroisse, et qui était aussi prof de religion dans mon lycée. C'est là que nous avions sympathisé.

95

Il hébergeait un autre asiatique. Un vietnamien arrivé avec les boat-people.

Toi fumer?

Toi vouloir cigarette?

Nous partagions de temps en temps un repas avec Pierre. Mais la plupart du temps, je mangeais seul. À tous les repas, je mangeais du riz blanc avec du... Tabasco!

Je savais que manger aussi épicé n'était pas très bon pour moi car ça me donnait des crampes d'estomac. Mais j'adorais le Tabasco... J'en mettais de plus en plus.

RAAAAAAAH!

Un jour, je me sentis mal au point de rester au lit plusieurs jours. L'abbé Pierre s'était absenté et je n'avais pas envie de prévenir mon voisin vietnamien. Je ne le savais pas encore, mais j'étais en train de me vider de mon sang par tous les orifices.

Une nuit, les vomissements se sont faits beaucoup plus violents. J'ai rempli un demi-seau d'un liquide couleur coca-cola.

Bien entendu, même si je trouvais la couleur intéressante, je savais que cette situation était anormale, mais j'étais cloué au lit, très affaibli. Je n'avais pas envie de voir quiconque, et encore moins d'appeler de l'aide.

J'veux pas crever puceau !

Heureusement pour moi, Pierre arriva juste à temps. Il appela ma mère qui me conduisit à l'hôpital le plus proche.

Elle avait l'air très inquiète, triste... Moi qui pensais qu'elle ne tenait pas à moi.

À l'hôpital, le médecin décida qu'il allait me garder deux semaines. J'appris que j'avais perdu la moitié de mon sang, que si j'étais resté un jour de plus ainsi, je serais mort... Si j'avais vécu au début du siècle, la médecine n'aurait pas pu me sauver. Pour finir, il m'apprit que j'avais une gastrite hémorragique.

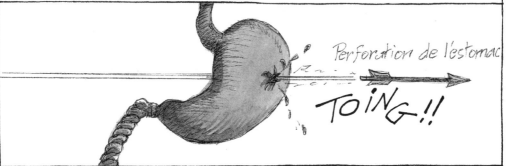

Perforation de l'estomac

TOING !!

Je n'étais pas heureux. Le pire, c'est que je ne savais pas pourquoi j'étais malheureux. En m'alimentant de la sorte, je savais que je me faisais du mal. Avec le recul, je me dis qu'inconsciemment je voulais peut-être en finir.

Youri, adopté, a choisi une méthode plus expéditive.

Sa sœur, adoptée, est morte d'overdose.

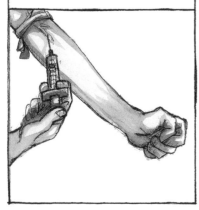

Bruno, l'adopté court sur pattes, s'est pendu.

Valérie, ma sœur adoptée, est décédée des suites d'un curieux accident de voiture.

Anne, adoptée, est morte en s'ouvrant les veines.

Sans oublier tous les adoptés qui ont fait des tentatives de suicide et qui ont échoué.

Michèle, adoptée, va beaucoup mieux, mais elle est restée longtemps dans un hôpital psychiatrique.

Je connaissais tous ces Coréens. Ils n'habitaient pas loin de chez moi, et nous fréquentions tous la même école.

Pour certaines familles d'adoption, il fallait posséder une belle voiture et... un coréen.

Signes extérieurs de richesse.

Quand les jouets sont cassés, on s'en débarrasse facilement.

CASSE →

Fort heureusement, la majorité des adoptants sont sincères dans leurs démarches. Certains ont recours à l'adoption car ils ne peuvent avoir d'enfants, d'autres par générosité, tout simplement.

Forcément, au début tout se passe bien, nous sommes si mignons.

C'est après que ça se gâte. Car quand on grandit, on se pose beaucoup trop de questions. Les parents adoptifs se sentant dépassés par les événements, se montrent parfois malhabiles, n'ont pas toujours les bonnes réponses ni les bonnes réactions.

En fait, vous n'êtes pas mes vrais parents. Pourquoi vous m'avez adopté ? Pourquoi j'ai été abandonné ?

Claire, viens m'aider.

Nos adoptions ne se terminent pas le jour où nous sommes recueillis. Ce n'est que le début de notre itinéraire d'adopté. Nous avançons à tâtons, dans l'obscurité sans savoir où nous allons. Le soutien et l'amour des parents est essentiel ...

J'ai été abandonné, mais je m'en fous, car mes nouveaux parents m'aiment très fort.

C'est dans ces circonstances que l'adoption apparaît comme un acte magnifique. Beaucoup d'adoptés ont tout de même eu cette chance.

Quant à moi, après ce petit séjour à l'hôpital, retour à la case départ chez mes parents. Mon frère s'empressa de crever l'abcès et de me dire ce qu'il avait sur le cœur.

Maintenant, tu vas arrêter tes conneries, hein ! Tu sais combien les parents ont dû payer pour le sang qu'on t'a remis ?

Je me sentais encore très fragile. C'était pas le moment de me dire une chose pareille.

Moi qui avais l'habitude de me cacher pour pleurer, je me suis mis à pleurer devant tout le monde.

J'aurais bien voulu retenir mes larmes, mais c'était plus fort que moi. Mon frère était très ennuyé.

Je sentis une main bienveillante se poser sur moi.

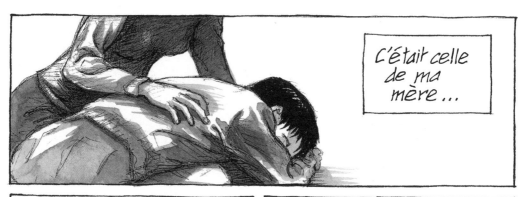

C'était celle de ma mère ...

Mon corps se souvenait qu'il aimait cette chaleur humaine.

Certains corps s'en souvenaient tellement bien qu'ils ne pouvaient plus s'en passer.

Ma mère me dit qu'elle avait perdu son premier enfant à la naissance, et que dans son cœur, elle m'avait donné la place de cet enfant. Pour elle, j'avais ma place dans cette famille, exactement au même titre que tous les autres.

Je savais que j'avais ma place dans la famille... Mais je ne savais pas que j'en avais une aussi dans son cœur.

Je n'étais donc pas une pomme pourrie dans un seau de pommes mûres.

J'étais une pomme tout à fait normale.

Seulement, je ne venais pas du même pommier.

J'étais une pomme différente qui aurait tant voulu ressembler aux autres pommes du panier.

Il fallait que j'apprenne à accepter ma différence.

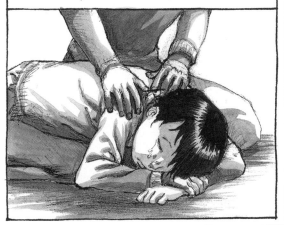

Que je me fasse une raison, car je ne ressemblais à personne d'autre.

Tout à coup, les choses commencèrent à se mélanger dans ma tête. Je me suis laissé bercer par les paroles de réconfort de ma mère. En même temps, une autre maman m'appelait.

J'étais à la recherche d'une maman, mais je ne me rendais pas compte que j'en avais deux. Tout aurait été tellement plus simple, si je n'en avais eu qu'une...
Alors pourquoi devoir choisir ?

Je garderai les deux, chacune avec ses qualités et ses défauts. J'aurai une partie occidentale, et l'autre orientale. Je serai européen, mais aussi asiatique. Et quand quelqu'un me demandera de quelle origine je suis, je lui répondrai que je viens d'une contrée où on y cultive du miel au goût sucré, mais aussi au goût salé.

En fin de compte , j'ai eu deux mamans, deux pays... J'avais découvert que j'étais le chaud et le froid, le blanc et le noir.

Chapitre 6

Un matin, Laurie m'appela pour aller voir ses amis musiciens coréens.

Je n'avais pas oublié mon carton à dessin, car Mee-yung et Chan-wook voulaient voir mes dessins.

T'es déjà sortie avec un jaune?

Je ne pourrais jamais.

Laurie était devenue ma meilleure amie. Elle me disait pour rigoler que j'étais comme son frère.

JAMAIS DE LA VIE! TU M'ENTENDS? J-A-M-A-I-S!

Hé, arrête de t'énerver. C'était juste une question. Moi non plus, je n'aimerais pas sortir avec une jaune.

Bon, maintenant, si elle est jolie, bien roulée et qu'elle ne te ressemble pas, pourquoi pas?

BEURK! BEURK! Comment peux-tu? C'est dégueulasse!

Mee-Yung et Chan-wook étaient très impressionnés par mes dessins.

C'est beau !

very good !

Mee-Yung trouvait mes petits personnages très rigolos, car je représentais sans le savoir des danseurs de Salmunori.

Danse folklorique et percussions coréennes.

BOM BOM BOM BOM   BOM BOM   BOM BOM

C'est incroyable!
Ces drôles de
chapeaux, ces
pantalons bouffants,
cette façon de
danser! C'est
tout à fait comme
chez nous!

Yes, it's
amazing...

Et puis, tu as vu les
couleurs qu'il utilise...
Vives, colorées comme
sur nos vêtements
traditionnels.

Les paroles de
Mee-Yung me
bouleversèrent.

Elles allaient changer le cours de mon existence. Elles allaient ouvrir une porte.

Je refusais d'une façon maladive mes origines coréennes qui me faisaient honte. Pourtant, je savais que je ne pouvais pas jouer à ce petit jeu très longtemps, car ce combat stérile me rendait profondément malheureux.

Les petits dessins que je faisais sans réfléchir ne mentaient pas.

Welcome back home, my brother...

Eh oui... Tu es comme nous!

Est-ce que j'allais oser franchir la porte? Traverser le long couloir? Qu'est-ce qui m'attendait au bout?

Qu'est-ce qui me faisait si peur? ...

Étaient-ce les "Jangseung„ ? Les totems coréens que l'on trouve à l'entrée de nombreux villages pour mieux éloigner les esprits malfaisants ?

Suis-je un de ces esprits destinés à errer aux alentours des villages sans oser y entrer ?

Est-ce que j'allais un jour sortir de ma carapace ? ...

Il était temps que j'arrête de jouer à cache-cache avec moi-même.

Peut-être que j'avais tout simplement peur de moi.

Ouiiiiii ! Bravo ! Tu as tout compris. Tu en as mis du temps pour comprendre

Hé Hé ! Tu devrais voir la tête que tu fais ! Ben oui, T'as été un peu long à la détente...

Non mais regarde-toi !

Houlàlà, j'suis l'ado le plus malheureux du monde ! J'suis un mal aimé, j'ai été abandonné ! Ouin, ouin, ouin...

Je...Je souuuuffre ! J'ai trop mal au ventre.

Je suis un incompris.

Arrête de pleurnicher et bats-toi. GODFERDOM, RÉVEILLE-TOI ! ALLEZ ! DU NERF !

J'hallucine, 'peut pas m'laisser tranquille, celui-là !

TOING

TOING

Alors comme ça, môsieur se la joue prétentieux ! Môsieur hallucine. Évidemment, c'est plus confortable de se dire qu'on est malheureux parce qu'on a été adopté, hein ?!

J'suis pas malheureux...

T'es pas malheureux, mais tu n'es pas très heureux de ce que tu es ! De tes origines. Tu as honte, reconnais-le. Mais, dis-moi, qu'est-ce qu'il y a de honteux à être Coréen ? Sois fier de ce que tu es.

Vas-y! N'aies pas peur, ouvre la porte, retourne là-bas dans le quartier de "Namdaemun". Près du marché, c'est là que le policier nous a trouvés...

Heu...Bof, très peu pour moi. 'Pas de temps à perdre avec ça.

Ben, vas-y tout seul, petit ... Moi, je me casse au JAPON !

Au Japon? T'es un sacré veinard. Hé Hé... Mais n'oublie pas que tu n'es pas Japonais! Alors, j'ai un petit service à te demander.

Quand tu seras là-bas ...

... Pense à regarder dans la direction du nord.

Chapitre 7

À 19 ans, j'allais réaliser mon rêve : partir au Japon. Depuis que j'étais petit, je savais que j'irais dans ce pays, mais je ne savais pas que j'irais aussi rapidement. Une amie m'appela pour me demander si je voulais participer à un concours organisé par la télé belge. Il y avait un voyage au Japon à gagner. J'ai sauté sur cette formidable occasion.

Je suis le meilleur !

Je vais gagner !

J'ai passé les épreuves éliminatoires très facilement. Toutes les questions portaient sur la culture et la connaissance du Japon ancien et contemporain.

Trop facile.

JUNG

J'étais un petit centre culturel japonais à moi tout seul. Je n'ai pas eu besoin de me préparer à ce concours, j'y suis allé les doigts dans le nez.

Je vais gagner ! C'est évident !

ULRIG   JUNG   MARC

133

J'AI GAGNÉ! BANZA'I!!...

Ça y est! J'ai mon billet d'avion pour Tokyo! Bye bye Belgique!

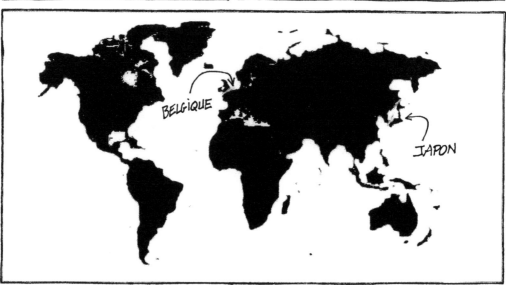

BELGIQUE

JAPON

J'étais surexcité... Je n'avais jamais été aussi heureux de ma vie.

Quand l'avion survolait le pacifique, une sensation étrange m'envahit. Au fur et à mesure que je m'approchais du Japon, je me rendais compte que je me rapprochais aussi de la Corée. Refaire le chemin dans le sens inverse me rendait fébrile.

Enfin, je survolais les régions montagneuses du Japon.

17 heures de vol plus tard, l'atterrissage à Tokyo se fit en douceur.

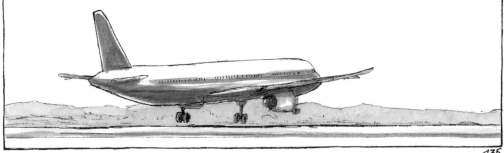

135

Quand je suis sorti de l'aéroport, je me rappelle, nous étions en plein mois d'août. Il faisait très chaud, j'étais fatigué. Mon excitation avait étrangement disparu. J'observais tous ces japonais autour de moi et je sentis le vide s'emparer de moi.

Même si je m'y attendais, je n'avais jamais vu autant d'asiatiques en une fois. Mon regard allait de tous les côtés, j'étais bouleversé, dérouté. J'aurais dû être heureux d'être là, mais ce n'était pas le cas. J'étais trop secoué pour apprécier mon arrivée.

Dans le taxi qui m'amenait en ville, je voyais défiler les paysages que j'avais vus maintes fois dans les livres, dans les documentaires. Sauf qu'ici, je percevais les 3 dimensions.

Et puis, il y avait cette odeur particulière qu'on ne trouve pas dans les livres. Je retrouvais mon entrain.

Mon voyage au Japon se déroula tranquillement, sans grandes surprises. J'oscillais entre des petits moments de bonheur, comme la visite du château d'Himeji ou mon passage dans les bains japonais, et des moments de déception. Je pensais que les japonais auxquels je m'identifiais étaient plus accueillants, plus accessibles.

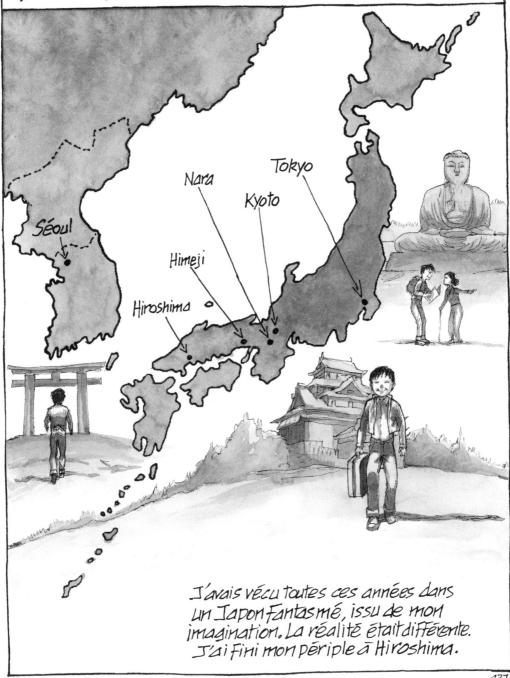

Séoul

Nara

Tokyo

Kyoto

Himeji

Hiroshima

J'avais vécu toutes ces années dans un Japon fantasmé, issu de mon imagination. La réalité était différente. J'ai fini mon périple à Hiroshima.

広島駅
HIROSHIMA STATION

Je savais pas que c'était une ville ultra moderne.

Ce dôme est le dernier bâtiment restant qui témoigne de la folie meurtrière de la bombe atomique.

J'ai découvert cette ville sous une pluie chaude et moite. Curieusement, je me suis tout de suite senti bien dans ce lieu au passé douloureux.

De toutes les villes que j'avais visitées au Japon, Hiroshima était la plus proche de la péninsule coréenne. Depuis que j'étais arrivé, je n'arrêtais pas d'y penser. Au nord se trouvait la Corée.

Allez, petite boussole...Aide-moi, dis-moi où se trouve le nord.

Je dois rendre service à un vieil ami.

Le nord est dans cette direction.

Je suis tout près de la Corée... Juste un bateau à prendre.

... Un pont à franchir...

Viens, petit
...

Viens, petit, n'aies pas peur...

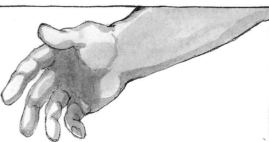

Je suis ton ami.

Si t'es mon ami, tu me dis pourquoi les mamans s'envolent un jour...

Pour ne plus revenir? ...

Je suis ton ami, petit, et je te promets que les mamans ne s'envolent pas pour toujours...

Tu ne les vois pas forcément, mais elles sont près de leurs enfants et veillent sur eux sans qu'ils le sachent...

Je vais te conduire à l'orphelinat.

'Y a du coca ?

Finalement, je n'ai pas pris le bateau, je n'ai pas franchi le pont. Ce voyage m'a permis de prendre conscience que j'étais différent, mais que je n'en étais pas moins bien pour autant.

Je suis né à 5 ans, le jour où ce policier m'a trouvé dans la rue. J'aimerais le revoir. Ma valise est prête, je peux partir.

Aujourd'hui, à 42 ans,
cette valise est déjà bien
pleine... Je suis l'enfant,
je suis l'adolescent,
je suis l'adulte, je
suis toutes ces personnes
que j'ai appris à aimer,
à accepter.

Il y a encore du chemin à parcourir, la
route peut être encore longue, mais la porte
est ouverte et je suis déjà sur le pont...

Et puis, il faut que
je retourne là-bas,
à Namdaemun...

Je l'ai
promis à un
vieil ami.

JUNG_
18/04/08